Manuel de Psychologie Pratique

COMMENT RELAXER

COMMENT RELAXER

WILFRID NORTHFIELD

ÉDITIONS SÉLECT

Dépôt légal:
Bibliothèque nationale du Québec
Bibliothèque nationale du Canada
Quatrième trimestre 1981

Titre original: «**How to relax**» by Wilfrid Northfield

Published by A. Thomas and Company, England.
© A. Thomas and Company 1973

© 1981 **Presses Sélect Ltée**, 1555 ouest,
rue de Louvain, Montréal, Québec.

ISBN: 2-89132-608-3
G1305M

Table des Matières

QUELQUES BONS CONSEILS

«Vivre nos sentiments dans un état permanent de tension et avec un esprit toujours en alerte, ce n'est pas vivre, mais gaspiller inutilement la fibre même de nos ressources nerveuses.»

W.C. Loosemore

«Nature, laisse-moi apprendre à ton contact...
«Comment faire pour ne pas séparer le travail de la tranquillité.»

Matthew Arnold

Avant-propos

Les exigences de la vie moderne sont telles, surtout dans les villes, que presque tout le monde souffre d'une forme quelconque de tension. C'est un danger engendré par notre emploi du temps. La plupart des gens semblent être constamment en train de se dépêcher pour rattraper un programme rigide, si bien que même les heures destinées aux loisirs tendent à être détournées de leur rôle.

Combien d'hommes et de femmes ne travaillent-ils pas pendant la pause de midi pour satisfaire leurs obligations et combien d'autres n'emportent-ils pas du travail le soir à la maison? De même, combien de femmes au foyer ne négligent-elles pas trop souvent leur besoin de repos afin de s'occuper de leur famille?

Sans doute toutes ces personnes expliqueraient-elles que ce qu'elles font est essentiel et que de toute façon le travail constitue leur préoccupation majeure. Pourtant, même si le corps ne présente aucun signe immédiat d'effort, il se produit inévitablement une lente accumulation de tension qui se transmet au cerveau et finalement conduit au stress nerveux et diminue l'efficacité.

De plus ce n'est peut-être pas votre cas — un grand nombre de personnes travaillant dans des postes considérés comme ennuyeux, ne comportant presque pas de responsabilités, deviennent de plus en plus nerveuses en raison de la monotonie et du sentiment de futilité.

Nous ne sommes pas obligés de supporter les effets du bruit et d'une vie trop active, de même que nous ne sommes pas forcés de mener un rythme d'enfer pour atteindre nos objectifs. Nous pouvons, en nous détendant, accéder à la sérénité et au calme, en augmentant par la même occasion notre efficacité.

Ce livre explique par le détail comment nous pouvons apprendre l'art de la détente et bénéficier des multiples avantages qui en résultent. Il contient un message que personne de devrait ignorer.

Préface

Dans cette suite à mon manuel *La Guérison de la Tension Nerveuse*, lequel traite du sujet général de la détente, je voudrais m'occuper davantage de l'aspect pratique du problème. Il pourra sembler, par moments, que je pèche par excès de détails. Je peux pourtant vous assurer qu'il ne faut dédaigner aucun détail, si petit soit-il, lorsqu'on cherche à remettre sur une base saine un système nerveux qui a été trop éprouvé, et j'ai la ferme conviction que la rééducation du contrôle du corps et de ses fonctions constitue le moyen le plus sûr de se libérer de la surtension.

Il est étonnant de constater tout ce qu'on peut faire par la répétition. Il m'est arrivé plus d'une fois de rechercher une certaine amélioration de mon état physique. Ayant établi ce que j'avais à faire, j'ai poursuivi cet exercice jour après jour. Pendant un certain temps je n'ai remarqué aucun changement, mais j'ai refusé de renoncer. Puis, soudainement, est apparu un léger mieux.

C'est exactement ce que vous aurez à faire au sujet des recommandations contenues dans ce livre. Il se peut que vous ayez à travailler à vide pendant un temps considérable. Mais persévérez. La joie de sentir la première petite amélioration prouvera que vos efforts en valaient la peine. Après cela, les progrès seront plus rapides, en partie parce que l'espoir et l'optimisme vous encourageront.

J'ai personnellement constaté la merveilleuse différence résultant d'un système nerveux stable, en ce qui concerne la joie de vivre. J'ai aussi vu des gens émergeant d'une période de tension et de dépression pour réaliser une vie de bonheur et de calme, simplement en mettant en pratique les principes que je vais esquisser ci-après.

Au point de vue médical j'ai toujours ajouté foi à l'adage d'Hippocrate, qui disait que «La Nature est le guérisseur des maladies». Quelle que soit l'importance de ce que nous faisons pour y aider, c'est toujours la Nature qui guérit en fin de compte. Donc plus nos méthodes de traitement seront naturelles, plus nous faciliterons la tâche de la Nature.

La tendance du corps est toujours de revenir à la normale. Un tissu endommagé commence sur-le-champ à se réparer de lui-même. Il en est de même pour le système nerveux. Arrêtez les dégâts que vous lui faites depuis si longtemps et la Nature commencera aussitôt à remettre les choses en état. En réalité, vous n'avez rien à faire que laisser la Nature accomplir son oeuvre. Votre rôle est facile pourvu que vous fassiez confiance à la Nature. Peu importe si votre condition est ou a été très mauvaise, la Nature est infaillible.

Allez donc de l'avant, avec la pleine certitude que la victoire finale ne peut pas vous échapper.

Wilfrid Northfield

1
La Respiration

Il y a deux raisons pour lesquelles je crois qu'il est utile de commencer par un chapitre sur la respiration. Nous savons que *le souffle c'est la vie*. Au moment où nous cessons de respirer, notre corps matériel commence à entrer en décomposition. La respiration constitue donc la racine principale de l'existence et comme telle doit être considérée en premier dans n'importe quel problème de santé.

Ma seconde raison est encore plus pertinente. C'est qu'il existe une liaison si marquée entre la respiration et le système nerveux, tant que votre respiration ne sera pas complète et régulière, votre système nerveux ne pourra qu'en être affecté de manière négative. C'est une des choses essentielles qu'il faut avoir présente à l'esprit.

Il n'existe qu'une seule espèce de respiration saine et naturelle. Elle se compose d'inspirations et d'expirations profondes et rythmées, *effectuées par le nez.* Si le passage nasal n'est pas libre, il ne peut pas y avoir de respiration normale et efficace.

On nous a appelés «une nation de gens respirant par la bouche» et je crois que c'est exact. J'ai regardé des gens somnolant dans leur fauteuil. Dès qu'ils s'endorment ils ouvrent la bouche.

Pourquoi? Simplement parce que, au moment où le système nerveux s'apaise, la respiration devient naturellement pleine et donc l'air suit la ligne de moindre résistance. Pour une personne saine il n'est pas nécessaire de suivre une autre voie que celle de la Nature.

LA CONGESTION NASALE

Je ne connais pas le pourcentage exact, mais je crois que six ou sept personnes sur dix ont le passage nasal obstrué d'une façon ou d'une autre. Dans la plupart des cas c'est le catarrhe qui en est cause.

Obturez chaque narine à tour de rôle par une pression du doigt et vérifiez si vous pouvez respirer par l'autre d'un souffle plein, profond et lent. Si vous y parvenez, vous n'avez pas à vous en inquiéter. Par contre, si l'une des narines ou les deux sont obstruées, vous devriez vous soigner. Vous pouvez, certes, continuer d'*exister* avec des conduits nasaux partiellement bouchés, mais vous ne serez jamais resplendissant de vie.

S'il s'agit d'une obstruction organique, il faut consulter un médecin pour établir comment on peut l'enlever. Si c'est un simple catarrhe qui cause l'ennui, essayez ceci:

Mêlez par quantités égales du sel de cuisine, du bicarbonate de soude et du borax. Dissolvez deux ou trois fois par jour une cuillère à thé de ce mélange dans un verre d'eau tiède et aspirez la solution par chaque narine à tour de rôle.

Par expérience personnelle je crois que ce traitement simple en vaut un autre. Mais même dans ce cas c'est la Nature qui vous guérit en fin de compte. En nettoyant le nez vous permettez à l'air d'arriver à la muqueuse et c'est cette *aération* qui produit l'effet salutaire.

J'ai donné ce conseil au départ parce qu'une bonne respiration doit constituer la base de toute technique de détente. Or, si vous voulez respirer efficacement, vous devez commencer par mettre votre appareil respiratoire en bon état de marche.

EMPLISSEZ VOS POUMONS

Nous étant occupés de cette question mineure mais importante, le point suivant à considérer c'est la respiration elle-même. Celle-ci dépend grandement de l'habitude. Dans une vie naturelle, active, de plein air, les poumons devraient travailler à leur pleine capacité. Même aux moments de repos leur mouvement devrait être libre et facile.

Par contre, dans le cas de bien des citadins et de travailleurs sédentaires, une considérable partie du poumon ne sert jamais. Même au point de vue strictement physique cette situation est mauvaise et explique plus d'un cas de tuberculose. L'effet sur le système nerveux n'en est pas aussi évident et tangible, mais il existe néanmoins.

Les poumons ne ressemblent pas à la plupart des autres organes, en cela que nous exerçons un certain contrôle sur leur fonctionnement. Ce que nous avons à faire c'est l'exercer effectivement.

En raison des conditions artificielles de la vie et surtout à cause du stress de la vie moderne, les poumons ont contracté l'habitude de ne fonctionner qu'à moitié. Nous devons donc, par un effort conscient, les mettre au pas — les discipliner jusqu'à les faire travailler avec leur efficacité maximum.

LA RESPIRATION DIRIGÉE

La respiration en soi est une action automatique, mais cela ne signifie pas qu'on ne puisse pas la diriger. Il est tout à fait certain que si nous élargissons l'amplitude du mouvement par un exercice constant de respiration profonde, cette nouvelle amplitude deviendra bientôt automatique. Cela veut dire que nous respirerons plus profondément même au repos. Moins profondément peut-être que pendant les exercices mais, en tout cas, beaucoup plus profondément qu'avant de les avoir commencés.

Signalons à présent une chose très importante. Dans la plupart des états émotionnels associés à l'instabiblité nerveuse, la respiration est particulièrement superficielle. Dans la dépression il n'en reste souvent qu'un simple *frisson*, pourrait-on dire. Dans les instants de peur, la respiration est fréquemment retenue. Or, la peur et la dépression sont deux des problèmes les plus graves auxquels sont confrontées un grand nombre de personnes.

Voilà donc un rapport précis entre le physique et le mental. La dépression tend à rendre la respiration superficielle. Si nous rendons la respiration moins superficielle, nous tendrons à supprimer la dépression. Il s'ensuit aussi qu'une personne dont la respiration est pleine et profonde est moins susceptible de souffrir d'accès de dépression.

«À quels moments et combien de fois faut-il s'exercer à respirer profondément?» demanderez-vous naturellement. La réponse est: «Aussi souvent que possible, tous les jours.» Le moment le plus important se situe peut-être avant le petit déjeuner.

Ma méthode personnelle consiste à prendre mon bain tôt le matin — un bain chaud suivi d'une friction froide — et à respirer profondément pendant tout le processus du séchage. Après m'être essuyé, je poursuis l'exercice encore quelques minutes, pendant que je me fais un massage manuel de la tête aux pieds. Vous serez surpris de constater à quel point on se sent en forme après ce simple traitement. Toute lourdeur matinale s'en va comme par magie.

L'ACTIVITÉ PHYSIQUE

Le principal avantage de cette méthode vient du fait que le respiration profonde s'accompagne d'activité physique. Il me semble que cette combinaison est d'assez grande importance. Plusieurs personnes m'ont dit qu'au moment où elles exécutent leurs respirations profondes en se tenant debout ou en restant assises, elles éprouvent un certain vertige.

Que cela se produise ou non dans votre cas, je crois pourtant que le meilleur système consiste à associer une légère activité physique aux exercices de respiration profonde. D'abord, le mouvement devient ainsi plus naturel. Et puis, la circulation plus intense et le battement accéléré du coeur *réclament* une plus ample expansion des poumons.

Si vous avez l'habitude de prendre votre bain le soir, vous pourrez exécuter vos respirations matinales en même temps que quelques exercices simples.

Les mains sur les hanches, tenez-vous debout, les pieds joints. Levez la jambe droite lentement, presque jusqu'à l'horizontale, en aspirant en même temps aussi profondément que possible. Expirez ensuite lentement pendant que vous ramenez la jambe à la position initiale. Recommencez avec la jambe gauche.

Après une douzaine de fois, tenez-vous debout, les jambes légèrement écartées, les bras ballants. Pendant que vous aspirez profondément, levez les bras droit devant vous jusqu'à les amener à la verticale au-dessus de votre tête, puis baissez-les latéralement jusqu'à la position en croix. Expirez doucement, en les laissant redescendre à la position initiale. Répétez le mouvement environ une douzaine de fois, comme le premier exercice.

Les deux figures sont extrêmement simples, mais il n'est pas nécessaire que ce soit compliqué pour être efficace. Il est inutile de dire, j'espère, que l'air que vous respirez doit être aussi pur que possible, de préférence devant une fenêtre ouverte s'il ne fait pas trop froid dehors.

DÉTENDEZ VOTRE CORPS

Ce que je viens de décrire c'est, bien entendu, la respiration profonde ordinaire. Pour l'associer de plus près à la détente, vous devez sentir une relaxation de tout votre corps à la fin de l'expiration. Permettez au corps d'acquérir tout son poids et faites une courte pause avant de commencer l'inspiration suivante. Vous éprouverez une sensation de soulagement à ce moment même.

C'est tout pour le début de la matinée. Par la suite, profitez de chaque occasion durant la journée pour faire une dizaine ou une douzaine de respirations profondes. En allant au bureau ou en rentrant, pendant la pause du déjeuner ou dans d'autres creux du travail, tous ces moments sont excellents. Vous trouverez certainement beaucoup d'autres occasions si vous en cherchez. Pendant que vous montez l'escalier ou en vous déplaçant d'une section de votre service à une autre, vous pourrez encore reprendre vos respirations.

Pour toutes les formes d'exercices mieux vaut éviter l'effort et cette règle s'applique aussi dans le cas présent. Ne vous forcez pas trop. Si vous comptez pendant l'inspiration, vous constaterez que le nombre augmente progressivement à mesure que le temps passe, sans que vous ayez à vous forcer. Il n'est pas non plus recommandable de soumettre les côtes à un effort afin de réaliser une plus grande capacité respiratoire. Tenez-vous droit, bien entendu, mais pour le reste adoptez une posture libre et dégagée.

Je ne suis pas partisan du système consistant à essayer de retenir longtemps son souffle avant d'aspirer. J'ai vu des gens qui le faisaient jusqu'à ce que leur visage bleuisse. C'est une action non naturelle qui risque d'affecter le coeur. Il ne doit presque pas y avoir de pause entre l'inspiration et l'expiration.

LA RESPIRATION RYTHMIQUE

Même en étant assis dans un fauteuil nous pouvons nous exercer à respirer d'un souffle profond et rythmique. Il vaut mieux se tenir assez droit et le souffle ne doit pas être aussi profond que lorsqu'on se tient debout ou qu'on fait des exercices légers. Par contre, dans cette situation on peut se concentrer encore mieux sur cette *chute* du poids du corps au dernier moment de l'expiration. Imaginez-vous que vous êtes prêts à passer à travers le fauteuil.

Il ne faut que quelques semaines pour commencer à remarquer l'action bénéfique de l'habitude nouvellement acquise. Puisqu'il s'agit d'accorder la première place à l'appareil respiratoire, vous constaterez qu'une respiration naturelle et profonde le maintient en bon ordre de marche. Tout organe s'atrophie ou tombe malade si l'on ne l'emploie pas et cela s'applique aussi à l'organe de la respiration.

Quand vous aurez, par un effort conscient, amené votre respiration à un état de perfection naturelle, vous serez capable d'en ressentir les avantages dans diverses circonstances.

Le bénéfice s'en fait sentir particulièrement lorsque vous effectuez un travail cérébral exigeant une certaine dose de concentration. Dans ces cas le souffle devient souvent très superficiel et cela tend immédiatement à engendrer la tension mentale.

Il n'y a qu'un petit pas d'une respiration superficielle à une circulation congestionnée et de celle-ci à une tête *alourdie*. La concentration devient très difficile dans ces cas, votre travail commence a être harassant et la situation défavorable est créée. Le travail cérébral en soi ne produit pas de tension sérieuse si l'on n'est pas soucieux.

RESPIREZ LIBREMENT

Veillez donc, pendant le travail cérébral, à maintenir une respiration libre et pleine. Plus vos problèmes sont difficiles et plus il vous faudra respirer profondément.

Nous nous échauffons parfois en exécutant des taches manuelles, de même que nous nous fatiguons, parce que nous retenons notre souffle. Cette habitude est très fréquente, par exemple, lorsqu'on soulève des objets assez lourds ou qu'on se penche au cours d'un travail. Il faut, au contraire, respirer librement et continuer de respirer. Il faut que rien ne vienne déranger une action naturelle, sinon il est inévitable que s'ensuivent des résultats non naturels.

Il faut également maintenir sa respiration pleine et profonde dans les occasions bien trop nombreuses ou la peur et l'angoisse mettent les sentiments en déroute. Lorsqu'on se présente, par exemple, pour obtenir un emploi, on est souvent angoissé et la peur peut apparaître quand on a rendez-vous avec le médecin ou le dentiste. Il est presque certain que dans de tels moments surgira une tension nerveuse, s'accompagnant d'une respiration superficielle.

Si nous ne pouvons pas supprimer totalement la peur ou l'angoisse, nous pouvons au moins les réduire considérablement. Une respiration profonde donnera à la tension nerveuse moins de possibilités de s'installer, de sorte que les émotions négatives seront plus faibles qu'elles ne le seraient autrement.

Dans la trépidation de la vie moderne il existe bien des personnes qui «*n'ont même pas le temps de respirer*». On entend souvent employer cette expression, comme si c'était une chose à leur créditer. Croyez-moi, l'homme qui se vante ainsi n'est pas un héros. Il est possible qu'il soit très doué pour les

affaires, mais il n'a pas la moindre idée du fonctionnement de son cerveau et de son corps.

Ne commettez jamais cette faute. Autant que
possible, veillez à toujours avoir le temps de respirer
et de respirer convenablement. S'il le faut, réduisez
votre programme, éliminez-en les parties les moins
vitales. Je connais des gens qui se chargent d'activités sociales ou professionnelles après une journée
déjà trop remplie. C'est très beau de leur part et on
peut admirer leur dévouement, mais ils ne sont pas
justes envers eux-mêmes. Ils devraient aux moins
s'accorder le temps de respirer.

Je suis certain qu'une fois que vous aurez
sérieusement porté votre attention sur cette question, vous prendrez conscience de l'importance de la
respiration. Vous cesserez de la considérer comme
un fait acquis et vous ne vous contenterez plus de
respirer n'importe comment.

Je suis sûr aussi qu'une fois que vous aurez
dirigé consciemment votre respiration pendant quelques mois, une fois que vous l'aurez arrachée à ses
habitudes indolentes, vous en recueillerez un bénéfice pour le reste de votre vie. Vous serez plein de
vitalité et de vigueur là où jadis vous n'étiez qu'à
moitié vivant, vous serez serein et paisible alors
qu'avant vous étiez nerveux et tendu.

POINTS À RETENIR

1) Vous devez mettre votre appareil respiratoire en bon état de marche si vous souhaitez respirer convenablement.

2) Vous pouvez augmenter la capacité naturelle de votre respiration automatique grâce à une periode d'entraînement.

3) Veillez de manière consciente à ce que votre respiration demeure pleine et ferme lorsque vous éprouvez des émotions comme la peur, l'angoisse, l'inquiétude ou la dépression. Celles-ci vous affecteront alors moins et passeront plus vite.

4) Il vaut mieux accompagner les exercices de respiration profonde de mouvements physiques légers.

5)Accordez-vous toujours «le temps de respirer», surtout tôt le matin.

2
La Maîtrise du Corps

Ce qu'il a de plus difficile à faire croire aux personnes souffrant de tension nerveuse c'est que si elles détendent leurs muscles *il faut* quelles détendent automatiquement leur esprit. C'est pourtant parfaitement vrai. J'en ai plus d'une fois fait la preuve dans ma propre expérience. Les médecins l'ont faite également au cours de leurs séances astucieusement imaginées.

Il est bon de prendre conscience de la vérité de ce principe et de l'accepter avec une foi implicite, parce que nous y trouvons notre moyen peut-être le plus puissant pour réaliser le calme mental. Cette horrible tension qu'on a dans le cerveau paraît si intangible, si impossible à combattre. Plus nous nous évertuons à la chasser, plus elle semble empirer. C'est d'ailleurs une réalité, qu'elle s'intensifie quand nous essayons de la vaincre, parce que cet effort ne fait que s'ajouter à celui qui existe déjà.

Examinez le phénomène de plus près et vous constaterez que la tension mentale s'accompagne *toujours* de tension corporelle. Or, c'est justement cette tension physique qui, par un acte réflexe, produit les symptômes désagréables qui vous font souffrir.

Nous pouvons aller même plus loin avec le raisonnement, en disant que là où il n'y a pas de tension physique il ne peut pas y avoir de tension mentale. Les deux ne vont pas l'une sans l'autre.Ce rapport entre les deux tensions constitue une vérité fondamentale dont vous ne vous pénétrerez jamais trop, car beaucoup de choses en dépendent.

LE SOULAGEMENT DE LA TENSION

Ce que vous devez faire à présent c'est commencer à rééduquer vos mouvements musculaires, tout comme vous l'avez fait pour votre respiration. Ces mouvements ont pris la mauvaise habitude d'être tendus et étriqués, de même que ceux de la respiration sont devenus paresseux. Par ce processus de rééducation, vous redonnerez aux mouvements de votre corps les conditions de fonctionnement facile dont la Nature les a dotées, dans l'intention qu'ils les maintiennent. Seuls les progrès de la civilisation et notre rythme accéléré de vie ont transformé les hommes en marionnettes.

Rappelez-vous l'époque où vous étiez un petit enfant, quand vous vous trouviez dans votre état naturel. Vous devez vous revoir étendu sur le dos, jouant librement des jambes dans l'air, avec vos bras détendus à vos côtés. À l'exception de quelques moments d'humeur enfantine, il n'y avait pas de tension dans ce petit corps. Or, c'est justement cette condition de détente que vous devez retrouver dans votre vie adulte.

C'est un processus lent et progressif. La tension de votre corps s'accumule depuis des années. Vous ne pouvez pas espérer la voir disparaître en l'espace de quelques jours. Mais aussi impatient que vous soyez, si vous persévérez vous ne serez pas déçus en fin de compte.

Nous fuyons à travers l'existence les yeux embués, jusqu'au moment où nous butons contre quelque chose qui nous réveille; et de même que l'adversité a parfois des effets bénéfiques, il est possible qu'une période de tension nerveuse finisse par vous être profitable.

Nous ne retomberons certainement pas dans nos anciennes habitudes une fois que nous aurons connu une respiration naturelle et pleine, ainsi que la maîtrise d'un corps libre et détendu. Or, ces deux éléments sont les colonnes principales de notre temple de l'équilibre et de la sérénité.

Quand nous commençons à remettre quelque chose en ordre, il vaut mieux savoir exactement ce qui est défectueux. Il faut donc apprendre en premier lieu à détecter la tension quand elle apparaît.

Si vous tendez les bras devant vous puis serrez les poings lentement mais vigoureusement, vous éprouverez une légère sensation qui remontera le long de votre bras presque jusqu'à l'épaule. Cette sensation c'est la tension. De la même façon, si vous tenez votre jambe rigide, la sensation remontera presque jusqu'à la hanche.

Vous pouvez percevoir simplement ces sensations parce que vous portez votre attention sur elles. Pensez aux innombrables occasions où ces tensions sont là tous les jours sans que vous en ayez conscience. Et le plus pitoyable c'est qu'il n'est pas nécessaire qu'elles soient là.

Ce n'est qu'une mauvaise habitude à laquelle nous nous sommes lentement laissés aller. C'est, de plus, une habitude onéreuse, parce qu'elle engendre la fatigue sans aucune réalisation, elle entrave la circulation et ralentit tout le fonctionnement de l'organisme. Or, ces choses ne peuvent pas se produire sans affecter d'une matière négative le cerveau.

LES EXERCICES QUOTIDIENS

Il est temps de signaler que les efforts irréguliers et spasmodiques sont de peu d'utilité pour la réalisation d'une technique de détente. Il faut, au moins pour un certain temps, traiter la question sérieusement, de sorte qu'il vaut mieux réserver une certaine partie de la journée à vos exercices.

le meilleur moment c'est peut-être immédiatement après le déjeuner, mais si votre programme ne le permet pas, n'importe quel autre moment fera l'affaire. Il vaut mieux que ce soit le même moment tous les jours. Il vous faudra une demi-heure à une heure.

Vous devez choisir un endroit tranquille où vous ne serez pas dérangé. Le processus par lequel on atteint un certain état de détente physique est progressif et si on l'interrompt, il est possible qu'il faille recommencer à zéro.

Nous supposerons que vous avez réussi à réaliser ces conditions. Passons donc aux exercices proprement dits. Commencez par vous étendre sur un lit ou dans un fauteuil très incliné. Il faut que les jambes et les bras soient soutenus aussi librement que possible. Levez lentement un bras, en essayant de percevoir la tension pendant que vous le faites. Laissez-le redescendre tout aussi lentement.

Lorsque le bras sera revenu à sa position de repos, vérifiez si vous pouvez encore sentir une légère tension. Il est probable que vous le pouvez, ce qui prouvera que le bras n'est pas dans un état de détente *parfaite*. Il est partiellement détendu, mais non totalement. Le sens de vos exercices c'est justement de réduire cette tension jusqu'à la rendre presque négligeable. Il faut beaucoup d'expérience pour parvenir à l'éliminer entièrement, et donc un long entraînement.

Recommencez le même exercice avec l'autre bras et puis restez tranquille quelques instants. Levez ensuite chaque jambe lentement, en percevant la tension de la même manière. Ensuite restez de nouveau tranquille aussi longtemps que possible.

Lorsqu'on apprend un art, il est toujours bien de procéder lentement, en ne s'occupant que d'un seul point à la fois. La détente, bien exécutée, est un art. Ce que je vous ai indiqué jusqu'ici devrait donc suffire pour votre première leçon. Lorsque vous aurez exécuté les mouvements des bras et des jambes, restez étendu dans l'immobilité et concentrez-vous sur la sensation de bien-être et de confort dans ces membres, pendant qu'ils sont étendus sans effort. Tenez les mains ouvertes, les doigts librement écartés en éventail.

Au début, les yeux devraient être mi-clos et à mesure que vous vous abandonnez de plus en plus à un état de détente, permettez-leur de se fermer complètement. N'oubliez pas de respirer profondément et régulièrement pendant tout ce temps.

ALLEZ AU RALENTI

Pour bien effectuer une détente il faut que vous réalisiez que l'essentiel c'est de ne rien faire. Vous devez simplement renoncer à vous-même en quelque sorte. Si vous tentez de faire quoi que ce soit, vous vous éloignerez de l'objectif que vous souhaitez atteindre. Imaginez que votre corps est un moteur et que vous le laissez tourner au ralenti. Lorsqu'un moteur de voiture tourne au ralenti, il ne produit pas de mouvement extérieur, il ne réalise aucun travail visible. C'est ainsi que vous êtes dans un état de détente — vous allez au ralenti.

Ne vous préoccupez pas des pensées et des idées qui peuvent vous passer par la tête. Concentrez-vous

MADAME

ASSOCIATION
CANADIENNE
du MARKETING

0683517199-H3C5E6-BR01

MADAME
CP 11094 SUCC CENTRE VILLE
MONTREAL QC   H3C 9Z9

MADAME

Prix en kiosque	VOUS ÉCONOMISEZ	VOTRE PRIX
17,91 $	7,96 $	9,95 $*

☑ **OUI!** Envoyez-moi une année complète de MADAME pour seulement 9,95 $*. **J'économise 44%** sur le prix en kiosque.

Nom _____

Adresse _____

Ville _____ Prov. _____ Code Postal _____

J02MNG02

☐ J'inclus mon paiement
de 11,44 $ (9,95 $ + taxes)   ☐ Facturez-moi

*Plus taxes. Offre valide au Canada seulement.
Prix en kiosque 20,59 $ (taxes incluses).

sur le manque d'effort et sur la sensation de repos de vos membres.

Il est possible que vous éprouviez le besoin de vous lever. Dans ce cas rappelez-vous qu'il s'agit d'un symptôme du mal même que vous essayez de guérir. Si vous cédez, vous retardez votre guérison. Restez donc immobile et tranquille, malgré ce besoin de vous lever. Au bout d'un certain temps cette impulsion commencera à devenir de plus en plus faible. N'oubliez pas que «rien que cette fois», si on le répète assez souvent équivaut à «toujours».

Ne faites, pendant quelques jours, que ce même exercice des bras et des jambes, après quoi vous pouvez passer à la deuxième leçon. Celle-ci concerne les muscles du cou et du tronc. Il vaut mieux que votre tête repose sur quelque chose d'assez ferme. Si vous êtes étendu sur un lit, mettez quelque chose de plus dur sur l'oreiller.

Ce que vous aurez à faire, ce sera de rouler la tête mollement d'un côté à l'autre. Imaginez-vous que votre tête est une balle ou un ballon attaché à votre corps par une ficelle. Si vous vous pénétrez de cette idée, il est impossible que les tensions subsistent dans les muscles du cou. Après avoir fait rouler plusieurs fois votre tête de cette façon, laissez-la reposer lourdement sur son support.

Le mouvement du tronc est très simple et consiste à redresser le corps puis à le laisser redescendre lourdement. Imaginez-vous que c'est un sac de farine ou de pommes de terre. Rendez-le si lourd que vous aurez l'impression qu'il va passer à traver son support — lit ou fauteuil, selon le cas.

Lorsque vous aurez assimilé ces deux leçons, vous aurez appris à percevoir la tension dans la plus grande partie de votre corps et vous aurez également appris comment le détendre, plus ou moins, complètement.

LA SENSATION DE LOURDEUR

À la troisième leçon, entrez directement dans un état de détente, mais cette fois ne faites aucun mouvement, si ce n'est un roulement mou de la tête comme indiqué ci-dessus. En ce qui concerne les bras, les jambes et le tronc, vous devez vous dire que vous allez les lever, mais quand vous tenterez de le faire, vous constaterez qu'ils sont trop lourds.

Il se peut bien que vous parveniez à faire un très petit mouvement, mais votre imagination vous persuadera de renoncer. Dites-vous sans interruption que vos membres vous semblent «des barres de plomb».

Après vous être concentré pendant quelques minutes sur cette idée, abandonnez-vous complètement à cette sensation de lourdeur que vous aurez créée. Fermez les yeux et détendez-vous aussi longtemps que vous le pourrez.

À ce stade, si vous avez exécuté ces trois leçons soigneusement et consciencieusement, vous saurez, à mon avis, tout ce qu'il vous faut savoir sur la détente physique passive. Il serait très facile d'élaborer une technique plus compliquée, mais vous n'y gagneriez rien.

J'ai dit que la détente était un art et qu'il fallait donc s'y exercer. Quand, cependant, on en a maîtrisé les principes, la période d'apprentissage est passée. On n'a plus besoin d'exercices, on se met directement au travail.

Quand on apprend à jouer du piano, on fait des exercices à cinq doigts, mais on ne les recommence pas chaque fois qu'on s'assoit pour jouer un morceau de musique, une fois qu'on est un pianiste confirmé.

LAISSEZ-VOUS ALLER

Par conséquent, une fois que vous aurez maîtrisé les trois leçons, vous vous assoirez ou vous vous coucherez et vous pourrez vous détendre directement. Il n'est plus nécessaire de commencer par produire la tension ou même d'y penser. En fait, moins vous pensez, mieux cela vaudra. Laissez-vous simplement aller, de tout votre être.

Il existe un aspect de la question qui mérite d'être souligné. On fait toujours avec plus de facilité et d'empressement les choses qu'on aime faire. Par exemple, l'homme qui éprouve de la joie dans son travail n'est jamais un esclave. Il est donc préférable de faire de la détente non seulement une obligation, mais aussi un plaisir. Car le fait est que cet exercice peut effectivement produire une sensation délectable de bien-être et de contentement.

J'ai découvert cela pour mon propre compte, il y a longtemps. Je l'ai commencé plutôt comme une nécessité réelle — ou, pour mieux dire, j'y ai été contraint, mais à présent c'est devenu une chose que j'attends avec impatience et que je savoure en elle-même, en dehors de l'effet bénéfique qui en résulte pour l'esprit autant que pour le corps.

On arrive, au cours de la détente, à une sensation de «bien lumineux». C'est une sensation difficile à expliquer en paroles. Elle produit, entre autres, un état de repos s'accompagnant d'une circulation libre du sang. Il existe une sensation de chatouillement très agréable dans les pieds et dans les doigts, parce que la tension nerveuse n'entrave pas la circulation.

Lorsqu'on se lève ensuite, on considère les choses autour de soi d'un regard tout à fait différent. Tout paraît plus intense, plus absorbant. Les gens qu'on voit paraissent plus réels.

Cela n'est pas surprenant, bien entendu, parce que dans votre état naturel, libre de toute tension, vous voyez les choses telles qu'elles sont. Rien ne déforme la perspective mentale autant que la tension nerveuse.

BOUGEZ PLUS LIBREMENT

Ayant maîtrisé les mystères de la détente passive, vous devez vous servir de votre puissance nouvellement acquise, notamment pendant que vous accomplissez vos obligations quotidiennes. Vous devez marcher d'une allure plus libre, jeter vos jambes en avant à partir des hanches, au lieu d'avancer comme un robot sur des échasses. Vous devez parler plus posément et d'un ton plus expressif, au lieu de précipiter les paroles par manque de souffle et de possibilité de les maîtriser.

Vous devez rester assis à votre bureau dans une position plus confortable et ne pas cacher vos jambes sous votre chaise. En fait, dans tout ce que vous faites, vous veillez à ce que la tension que vous avez rejetée au cours de vos leçons ne revienne pas insidieusement pendant vos heures d'activité.

Il est facile de l'en empêcher si vous prenez la situation en main. Une certaine habitude vous aidera. Il est inévitable qu'un certain degré de tension accompagne votre activité, mais elle ne doit jamais être ni excessive ni dérangeante. Dès que vous en percevez la présence c'est qu'elle est déjà excessive et vous devez être sur vos gardes.

Accordez-vous une pause dès que vous le pourrez et rétablissez votre équilibre par quelques minutes de respiration profonde et de détente passive. Sans cela il est inutile de tenter de combattre la sensation de tension. Vous serez vaincu à chaque coup, même si vous vous imaginez être un surhomme.

Pour être bien portant il faut obéir aux lois de la nature. Dans le chapitre suivant nous considérerons l'une de ces lois bien trop souvent enfreinte.

POINTS A RETENIR

1) L'effort mental doit diminuer quand vous détendez tous les muscles du corps.

2) N'attendez pas de *sentir* que vous pouvez vous détendre. Vous risquez d'attendre pour l'éternité. Faites-le, envers et contre tout.

3) Une fois que vous aurez, grâce aux trois exercices, appris l'art de la détente, vous ne l'oublierez jamais plus. Mais, comme pour tous les arts, les exercices vous permetteront de maintenir votre niveau.

4) Tentez de découvrir un plaisir réel dans la sensation de détente physique parfaite. Cette sensation peut être très apaisante et très réconfortante.

5) La détente est toujours plus facile après avoir fait de l'exercice, préférablement en plein air.

3
L'Équilibre et le Rythme

Même si vous n'avez regardé la Nature que fugitivement, il est impossible que vous n'ayez pas remarqué que tout y suit la loi de l'équilibre et du rythme. La croissance et la chute des feuilles, le flux et le reflux des marées, le lever et le coucher du soleil — tous ces phénomènes et mille autres reflètent ce rythme tranquille et constant que l'homme a en quelque sorte laissé sortir de sa vie.

On a souvent cité *modération en toutes choses* comme la clé de la santé et du consentement. La modération implique l'équilibre et l'équilibre crée le rythme.

La vie de l'homme est partagée entre deux états principaux, le repos et l'activité. Si ces deux états sont bien harmonisés, le résultat en est la santé. Le plus souvent cependant, il existe un certain déficit du côté du repos. Le repos ne résulte pas forcément du loisir. Un homme peut disposer de moment de loisir en adondance et néanmoins, ne sachant pas les utiliser, craquer de surmenage.

L'ennui peut détruire le mécanisme biologique bien plus rapidement qu'un excès de travail. L'homme qui travaille trop se soulagera par la détente. L'homme qui s'ennuie a besoin d'une quantité d'activité plus grande. Le tout est une question d'équilibre.

Une fois cet équilibre déréglé, il n'est pas facile au début de le rétablir. La détente paraît difficile à l'homme surmené, de même que le travail semble fastidieux à l'homme qui s'ennuie. Mais chacun des deux doit persévérer jusqu'à ce que l'équilibre soit rétabli. En l'absence de cet équilibre, il ne peut pas exister de satisfaction réelle dans la vie.

Je pense que dans la plupart des cas on place trop l'accent sur l'activité. La soif de puissance et d'honneurs, le désir de fortune, la volonté de vaindre ses concurrents — toutes ces choses futiles nous poussent au-delà de nos limites naturelles. Nous ne nous accordons pas le temps de nous reposer. Un tel temps serait perdu, nous semble-t-il.

L'IMPORTANCE DES LOISIRS

Pourtant, la valeur de notre activité dépend entièrement de la qualité de nos moments de loisir. C'est pendant ces moments que nous édifions nos ressources, d'énergie nerveuse destinées à être dépensées au cours des heures d'activité qui suivront.

Comment pourrions-nous dépenser ce que nous ne possédons pas? C'est impossible. Il est, dès lors, évident que nos loisirs sont encore plus importants que notre activité.

En appliquant une méthode de détente et de respiration telle que celle que j'ai décrite, on peut s'assurer de grandes réserves d'énergie nerveuse. Vous serez alors sûr d'avoir un bon équilibre.

J'ai connu des hommes qui se sont effondrés nerveusement sous l'effet de quelque effort inattendu. En examinant leur vie, on a constaté que ces hommes n'avaient rien fait pour se préparer à une telle éventualité. Ils avaient conduit leur vie d'une manière désordonnée, gaspillant leurs moments de loisir, trop absorbés qu'ils étaient par leur travail.

Ils comptaient sur une constitution indestructible. Quand ils se reposaient, ils dépensaient tout autant d'énergie vitale qu'en travaillant.

Puis le craquement se produit et ces hommes n'ont rien sur quoi s'appuyer, aucune réserve. Leur travail, qui jusque-là constituait toute leur existence, est à présent devenu un fardeau. Ils ont vécu au jour le jour, du point de vue psychologique, et tant que les choses allaient sans heurt, ils étaient contents.

C'est pourtant une politique sans perspective. S'il me fallait vivre ainsi au point de vue financier, je m'y accommoderais tant bien que mal, mais pendant tout ce temps je chercherais à réaliser quelques économies, si petites fussent-elles, pour un cas extraordinaire. Il en est de même en ce qui concerne les ressources nerveuses, à la différence que c'est plus grave.

AVOIR UN OBJECTIF

Le facteur le plus important pour réaliser une vie bien équilibrée c'est d'avoir un objectif bien défini, qu'on poursuit avec une saine modération. Si on l'a, on travaille dur, on éprouve le besoin de se reposer et on satisfait ce besoin par la détente appropriée.

Vos moments de loisir, vous le constaterez, sont tout aussi constructifs que les périodes actives. Vous devez donc leur accorder leur dû et être content de le faire.

L'homme sans objectif est inquiet. Il n'emploie pas son énergie d'une manière naturelle. Il n'est jamais bien portant, ni fatigué avec satisfaction. Pendant qu'il tente de se reposer, sa conscience lui dit qu'il ne mérite aucun repos. De plus, s'il n'a pas de projets à préparer, il n'a aucune raison de se reposer. Il n'est donc pas surprenant qu'il devienne toujours plus inquiet.

L'enthousiasme ouvre grande les portes de l'énergie et celle-ci, bien utilisée, rend la détente facile. Ainsi se maintient l'équilibre quand la vie comporte un plan d'action bien conçu.

Je pourrais dire à ce stade qu'un excès de détente peut être tout aussi mauvais qu'un excès d'activité. Il faut réaliser un équilibre. Il suffit de considérer le cas d'un muscle pour le constater. Un muscle constamment tenu sous tension serait bien vite épuisé. Un muscle tenu dans un état permanent de détente s'atrophierait bien vite faute d'être employé. Il en est de même pour les forces vitales du corps. L'équilibre se maintient par l'alternance de l'activité et du repos.

Si l'équilibre est sérieusement perturbé, on peut éprouver de la difficulté à se détendre les premières fois. Mais il faut persévérer. Dès qu'on a réalisé un petit peu de détente, l'activité devient un peu plus normale et plus naturelle. Cela, par contrecoup, rend plus facile la séance de détente suivante. C'est ainsi que, une phase soutenant l'autre, on rétablit progressivement l'équilibre naturel.

Plus le besoin de détente est intense, plus il est difficile de se détendre. C'est regrettable, mais il vaut mieux que vous sachiez la vérité.

N'IMPORTE QUI PEUT SE DÉTENDRE

Cela ne sert à rien de vous imaginer que vous ne pouvez *pas* vous détendre. Vous le pouvez! N'importe qui le peut. Il est possible que vous éprouviez dans la tête des sensations de chaleur ou de compression, il est possible que vos pensées tournent en rond. Ces phénomènes rendent la détente plus difficile. Je le sais par expérience. Mais j'insiste sur le fait que ces sensations désagréables ne rendent *pas* la détente impossible. Vous devez la réaliser et vous pouvez la réaliser en dépit de ces sensations.

Après tout, ces phénomènes étranges ne sont que les signaux d'alarme de la Nature vous prévenant que votre équilibre nerveux est sérieusement déréglé. Acceptez-les comme tels et mettez-vous sur-le-champ à effectuer les soins nécessaires. Tout retard ne peut qu'accroître le désordre.

En ce qui concerne cette question d'équilibre, je n'insisterai jamais assez sur la nécessité d'avoir un passe-temps. Et il ne suffit pas d'en prendre un au hasard, il faut le choisir avec soin et discernement. Je le dis parce que j'ai connu des hommes pour lesquels un passe-temps aurait représenté le salut dans des moments de dépression nerveuse.

Au moment où les soucis ont rendu impossible leur travail cérébral sédentaire, ils n'ont rien eu comme activité purement physique dans laquelle se retrancher. Il n'ont donc fait qu'errer de clinique en clinique et courir les spécialistes, en passant des mois vides, sans aucun but et sans le moindre enthousiasme.

Il existe des moments où l'on peut employer le cerveau et non le corps. Il y en a d'autres où le travail intellectuel est impossible, mais non l'activité physique. C'est pourquoi il faut développer les deux faces de ses possibilités — les mentales et les physiques.

MAINTENEZ UN ÉQUILIBRE

Tout travailleur sédentaire devrait cultiver un passe-temps comportant une activité physique active, qui le satisfasse entièrement. Par contre, le travailleur manuel ferait bien de s'assurer un passe-temps impliquant une utilisation agréable du cerveau. De cette façon l'équilibre serait maintenu et en cas d'accident il y aurait toujours une activité en réserve.

Veillez donc à maintenir l'équilibre dans chaque manifestation de votre vie. Ne vous surmenez pas. Si vous le faites, vous n'êtes pas un héros, mais un imbécile.

Ne gaspillez pas votre énergie nerveuse pendant vos moments de loisir. C'est là que vous devez introduire une détente constructive. Ayez des objectifs précis et une ligne d'évolution définie et respectez-les.

L'indécision engendre l'inquiétude. Compensez votre travail par un passe-temps bien choisi. Surtout, acquérez un sens des valeurs.

C'est de cette manière que vous aurez des chances de garder votre esprit calme et détendu. L'équilibre détermine un rythme et le rythme ouvre la voie à la quiétude.

POINT À RETENIR

1) Vous ne pouvez vous assurer des réserves d'énergie qu'en équilibrant vos activités, ce qui rendra la détente plus facile.

2) Vos moments de loisir sont réellement plus essentiels et plus importants que votre travail, de sorte que vous ne devez pas les gaspiller.

3) Toute personne devrait avoir un passe-temps, de préférence très différent de son travail. Le travail sédentaire exige une activité de plein air. Le travail manuel en réclame une plus reposante pour le corps.

4) Vous devez avoir un objectif et un plan de vie bien définis. Autrement, vous ne pourrez contraître que l'inquiétude, ce qui rendra la détente difficile.

4
La suggestion

La suggestion est un facteur très important, qui peut aussi bien causer que soulager la tension nerveuse. On a effectué des recherches pour établir quels étaient les films les plus appropriés aux patients souffrant de maladies nerveuses. Les résultats ont révélé que cette forme de traitement pouvait donner des résultats très positifs, particulièrement dans le cas des épileptiques et des personnes irritables. Je signale cette thérapeutique comme preuve de la puissance de la suggestion, pour le cas où vous seriez sceptique.

Au cours de nos heures de veille, nous nous trouvons presque minute après minute sous l'influence de la suggestion extérieure. Certains y sont plus sensibles que d'autres et les personnes souffrant de tension nerveuse y sont généralement trop sensibles. C'est pourquoi elles doivent apprendre à neutraliser l'effet des influences extérieures, en pratiquant régulièrement l'auto-suggestion.

À moins de jouir d'une stabilité exceptionnelle, le simple fait de vivre dans une époque de vitesse, de course à la recherche du sensationnel, de bruit et de chaos suffit pour déterminer la tension et l'inquiétude.

J'ai reçu récemment une lettre d'un jeune homme qui est assez fréquemment cloué au lit par une maladie physique. Bien qu'il ne soit pas engagé de manière active dans la vie moderne, il en ressent néanmoins l'influence bouleversante déréglant son système nerveux. À certains moments il tombe dans la dépression à d'autres dans l'angoisse. Or, ces désordres ne sont pas provoqués directement par sa maladie. Il hésite souvent à ouvrir son journal du matin, dans la crainte de l'influence négative qui en résulterait par suggestion.

L'état de choses chaotique visible partout n'est qu'un symptôme de la névrose du monde. C'est à nous, en tant qu'individus, de refuser de contribuer à cette situation. Si nous ne nous tenons pas sur nos gardes, nous nous laisserons emporter par le courant. Nous devons nous répéter encore et encore: «Le monde se rue en avant; qu'il se rue! La foule est avide de sensations; donnez-moi des choses habituelles, quotidiennes. La masse court après le bruit et les distractions: je refuse de me laisser détourner de mes joies tranquilles et de mes plaisirs simples.»

En répétant pour nous-mêmes des phrases comme celles-ci, nous ferons beaucoup pour contre-balancer l'influence néfaste de la modernité.

LA MAÎTRISE DE LA PENSÉE

L'excitation des nerfs a son origine dans la pensée. Nous devons donc exercer un contrôle très sévère sur le monde de nos pensées. Plus nous exerçons ce contrôle, plus il devient puissant et utile. Sans le dérangement et la dépense qu'exige le traitement que j'ai décrit dans le paragraphe introductif, nous pouvons produire notre propre spectacle cinématographique en imagination. Installez-vous dans un fauteuil commode, détendez-vous bien et puis «fermez les yeux et laissez passer devant votre regard toutes les choses que vous trouvez belles.»

Vous connaissez parfaitement les choses que vous aimez de tout votre coeur dans les moments où le souci de vos affaires ne pèse pas trop lourd sur vos épaules. Ne s'agirait-il pas des scènes merveilleuses de la Nature, des fleurs, des arbres dans le vent, de la mer démontée, du ciel bleu, des étoiles ou des montagnes?

Vous pouvez, dans le monde de votre imagination, jouir de ces choses jour après jour si vous le voulez. Plus vous les contemplerez et plus la sérénité et le calme pénétreront dans votre existence. Vous ne ferez que vous suggérer qu'en réalité le monde est plein de joie et de beauté, en dépit de son chaos superficiel.

L'humour aussi est un antidote de la dépression nerveuse. Vous pouvez soulager vos sentiments exaspérés en restant tranquillement dans votre fauteuil et en pensant à toutes les choses drôles que vous avez vues ou entendues. Il est possible que vous soyez seul et que vous soyez morose et pourtant certaines pensées humoristiques ne pourront pas ne pas susciter un sourire.

Cet unique sourire est suffisant pour stimuler un peu votre circulation et ainsi produire une sensation de détente. Pensez encore à d'autres choses drôles et bientôt vous vous sentirez comme si vous étiez une autre personne. Si votre réserve d'humour est limitée, prenez quelques journaux humoristiques pour y puiser la drôlerie nécessaire.

LE BÉNÉFICE DU RIRE

Le rire est peut-être le meilleur remède pour les nerfs tendus. Je crois qu'on aurait pu sauver plus d'un être humain du suicide par quelques bons éclats de rire. Ne permettez jamais à votre dignité de vous empêcher d'apprécier la partie drôle de l'existence. Aussi, quand vous êtes seul, ne manquez pas de revivre en imagination des épisodes amusants.

Tâchez de vous mêler aux êtres pleins de joie de vivre, aux optimistes, à ceux qui sont insouciants et heureux. Ceux qui geignent et qui clament leur pessimisme ne feraient qu'irriter votre système nerveux, ils chasseraient votre sérénité.

Les gens heureux ne tiennent pas à écouter l'histoire de votre désespoir. Mais il vaut mieux, pour vous, sacrifier le plaisir d'en parler, plutôt que de retrouver vos vieux camarades qui semblent si pleins de compassion. En réalité ils ne vous écoutent que pour se donner la satisfaction du plaisir pervers que leur procure votre infortune.

Aussi tendu nerveusement, aussi «désagrégé» que vous vous sentiez, ne l'avouez jamais à *personne*. Si l'on vous demande comment vous vous sentez et s'il est trop visible que vous n'êtes pas très en forme, répondez simplement: «Oh, je suis un peu fatigué, mais je me remettrai d'ici un moment.»

En faisant cela, vous évitez de vous suggérer à vous-même que vous n'êtes *pas* bien et en même temps vous vous suggérez que bientôt vous serez *effectivement* mieux.

Si vous y réfléchissez sérieusement, vous vous rendrez compte de l'inutilité de parler de votre état à tous ceux que vous rencontrez. Si quelqu'un possède le savoir et la possibilité de vous aider, c'est tout à fait autre chose. Ne vous gênez pas, faites de lui votre confesseur. Mais tout au plus un homme sur cent a ce savoir et cette disponibilité.

LES TEXTES IMPRIMÉS

Les textes imprimés exercent un effet très puissant, tant en bien qu'en mal. Les éditeurs des journaux en ont pleinement conscience. Aussi souhaiterais-je souvent qu'ils servent au public ce qui lui fait du bien, non ce qu'il réclame en raison de sa névrose. Les sensations fortes ne sont pas bonnes pour les personnes sensibles.

Vous feriez bien de choisir avec un certain discernement votre journal du matin ainsi que le reste de la littérature que vous lisez. Laissez de côté les meurtres, les suicides, les détails et les photos des accidents horribles et tout le fatras de ce genre. De telles lectures ne peuvent vous servir à rien.

Tout cela est évident, si vous y pensez un instant. Il existe habituellement une bonne quantité d'articles utiles et instructifs dans n'importe quel journal. Lisez ces pages-là et remettez de l'équilibre dans votre esprit, au lieu de le troubler par la drogue du sensationnel.

Il existe deux manières dont vous pouvez vous servir des textes imprimés ou écrits pour diriger votre suggestion, en tenant un carnet où vous prenez des notes ou en placardant des graffiti sur les murs.

Vous tombez chaque jour dans vos lectures sur des citations ou des dictons qui vous paraissent utiles. Portez sur vous un carnet et notez-les avant d'en perdre le souvenir. Ensuite, dans les moments où vous n'aurez rien à faire, vous pourrez revoir votre anthologie de mots «remontants».

Avec le temps, ces citations finiront, à force de répétition, par s'enregistrer dans votre mémoire. Elles vous seront alors encore plus utiles, car «une bonne pensée dans la tête en vaut deux dans un livre.»

En ce qui concerne les graffiti que vous placarderez dans votre chambre à coucher ou dans votre bureau, choisissez-en qui traitent directement de la détente. Si vous n'en trouvez pas à acheter qui vous conviennent, faites-les vous-mêmes. Une très bonne méthode consiste à brûler les lettres sur une planche avec un tisonnier rougi au feu. De plus, cela constitue un excellent hobby pour les soirées d'hiver.

Je suggère des phrases du genre: «Allez-y doucement — vous arriverez tout de même.» Ou: «Se dépêcher pour gagner du temps? — Qu'en ferez-vous une fois que vous l'aurez gagné?» Ou: «Restez calme. Si vous perdez la tête, vous trouverez des ennuis.»

Toute phrase dans ce style est bonne. Accrochez ensuite vos pancartes dans des endroits où vous soyez sûr de les voir souvent — au pied de votre lit, par exemple, ou devant votre table de travail.

CHASSEZ LES PENSÉES ANGOISSANTES

Avant d'en finir avec la question de la suggestion, je voudrais vous signaler les deux meilleurs moments de la journée pour l'autosuggestion: immédiatement après le réveil et au dernier moment avant de vous endormir. Vous en avez certainement entendu parler, mais vous en servez-vous? Vous devriez le faire.

Les pensées qui viennent en premier au réveil ne sont habituellement pas très gaies. Des soucis concernant le travail, des heures d'inquiétude qui vous attendent ou, s'il n'y a rien d'autre, la lourdeur de votre tête. Rejetez tout cela d'un seul coup. Regardez par la fenêtre le ciel bleu — s'il l'est — les arbres, les fleurs et les oiseaux. Étirez-vous et ensuite levez-vous et respirez plusieurs fois profondément.

Dites-vous qu'il fait bon vivre. Mettez-vous à chanter et à siffler. Pendant que vous prenez votre bain, prenez aussi la décision d'être insouciant. Pendant que vous vous rasez et que vous vous habillez, pensez avec joie au petit déjeuner qui vous attend. Quand vous le mangerez, savourez-le.

Vous serez surpris quand vous découvrirez à quel point cette attitude peut être facile si vous vous y habituez. Il s'agit simplement de gagner de vitesse votre dépression. Si, par contre, vous lui permettez de vous dépasser vous l'aurez sous les yeux toute la journée.

Il en est de même le soir quand vous vous couchez. Les soucis et les inquiétudes n'attendent que l'occasion de s'installer sur votre oreiller. Chassez-les énergiquement. Concentrez-vous sur des scènes agréables, comme vous l'avez fait dans le film que vous vous êtes projeté en imagination.

N'oubliez pas que vous ne pouvez pas penser à deux choses à la fois. C'est à vous de choisir entre des pensées gaies et des pensées sombres. Profitez de votre droit de choisir, jusqu'à devenir le dictateur du royaume de vos pensées.

POINTS À RETENIR

1) À chaque occasion suggérez-vous que les choses que vous souhaitez se réaliseront.

2) Contemplez des choses reposantes, lisez des choses reposantes, entretenez-vous avec des personnes reposantes.

3) Vous avez plus de pouvoir sur vos pensées que vous ne le croyez.

4) Ne racontez jamais à personne vos ennuis.

5) L'humour est la meilleure soupape de sûreté pour les nerfs trop tendus. Pensez à des choses humoristiques, lisez-en, écoutez-en et riez.

5
Le Bruit

La question du bruit présente une certaine importance pour la détente. Nous en parlons habituellement parmi les autres choses, comme un des principaux obstacles nous empêchant de nous détendre, mais je crois que nous nous trompons.

En plus de toutes les conditions complexes de la vie d'aujourd'hui, le bruit semble être *le facteur déterminant,* pour ainsi dire, et cela, entre autre, parce que de toutes les causes c'est évidemment la plus présente et la plus difficile à éviter.

Il me semble pourtant que si nous vivions une vie parfaitement saine, en obéissant strictement aux lois de la Nature, le bruit en soi ferait bien peu de mal à notre stabilité nerveuse.

En ce qui concerne les autres causes, comme les soucis, la peur ou l'angoisse, chacune est suffisante à elle seule pour produire un dérèglement nerveux.

C'est pourquoi je suis porté à considérer la crainte du bruit et l'irritation qui en résulte comme le symptôme du mauvais état des nerfs plutôt que comme la cause de cet état.

Si vous admettez que la crainte du bruit n'est qu'un symptôme, la chose évidente que vous aurez à faire sera de vous mettre à réduire votre tension par les moyens que j'ai décrits. Il est tout à fait certain que vous n'êtes pas dans un état normal si vous n'êtes pas capable de supporter un degré raisonnable de bruit.

Le monde ne va jamais réduire son vacarme. Il est bien plus probable qu'on le voie allant en augmentant à mesure que le temps passera. Avez-vous l'intention de le supporter avec stoïcisme, en grognant et en étant irrité d'un bout de l'année à l'autre? Ou essaierez-vous de le fuir? Il semble n'y avoir que cette alternative et pourtant chaque solution est absurde. Si vous parvenez à remettre votre système nerveux en état de fonctionner sans heurt, vous n'aurez plus besoin d'avoir recours à aucune de ces deux solutions.

LA FORCE DES PRÉOCCUPATIONS

On cite toujours les marteaux pneumatiques comme les appareils produisant le bruit le plus infernal jamais connu. Pourtant les ouvriers qui emploient ces outils sont moins sujets aux désordres nerveux que n'importe quelle autre catégorie de travailleurs manuels. Comment expliquer ce phénomène? Je considère qu'il existe deux raisons. D'abord, les hommes choisis pour cette tâche sont doués d'une force physique exceptionnelle et leur seul souci c'est peut-être la hausse du prix de la bière et du tabac.

En second lieu, ils ne remarquent presque pas l'intensité du bruit, parce que leur esprit est préoccupé par le travail qu'effectue le marteau pneumatique et non par le bruit qui en résulte. La force de la préoccupation est donc l'antidote le plus puissant des troubles intérieurs.

Un bruit ne nous affecte négativement que dans la mesure où nous lui permettons de le faire. Et plus nos nerfs sont tendus, plus nous le lui permettons. Si vous vous trouvez dans un parfait état de détente, il faudrait une explosion très puissante pour vous faire sursauter. Quand vos nerfs sont tendus, vous vous mettez à pester contre le chat qui circule dans la maison.

J'ai dit qu'il n'était pas sage de se proposer de fuir le bruit. La raison en est que l'idée même est mauvaise, du fait qu'elle vous fait renoncer à votre amour-propre, puisque vous acceptez le fait d'être anormal. Mais la solution est également mauvaise au point de vue économique, parce que l'argent se trouve là où il y a du bruit et qu'il faut gagner sa vie.

UNE TRANQUILLITÉ OCCASIONNELLE

Pourtant, si votre trop grande sensibilité nerveuse vous fait réellement souffrir, il serait bon pour vous de vous retirer pendant un certain temps dans une ambiance tranquille. Quelques semaines à la campagne, où vous pourrez faire dans de bonnes conditions vos exercices de respiration et de détente, devraient vous permettre de vous rétablir et de pouvoir revenir à votre vie normale.

Je crois que bien des citadins profiteraient davantage de leurs vacances annuelles s'ils cherchaient les endroits paisibles et silencieux, au lieu de se joindre à des groupes avides de distractions.

En tout cas, si vous vivez dans un endroit où il y a du bruit, il serait utile que vous trouviez un lieu tranquille pour y faire vos exercices. Vous pouvez le reste du temps constater les progrès que vous réalisez en observant votre réaction au bruit.

Ne fuyez pas le bruit entièrement. À mesure que votre système nerveux se détendra, vous en serez de moins en moins affecté. Il est même possible qu'avec le temps vous arriviez à préférer une quantité raisonnable de bruit au silence total. Vous serez beaucoup plus normal à ce moment-là.

POINTS À RETENIR

1) Vous n'êtes pas normal si vous ne pouvez pas supporter une quantité *raisonnable* de bruit.

2) À mesure que vous deviendrez plus détendu dans vos habitudes, vous serez de moins en moins affecté par le bruit.

3) D'ici là, *réalisez autant que possible la détente nécessaire pour supporter le bruit*, plutôt que de vous en plaindre et d'en être irrité.

4) Le bruit vous affecte dans la mesure où vous vous concentrez sur votre irritation et où vous cherchez à en observer les effets négatifs sur vos nerfs. Préoccupez-vous d'autres activités et évitez de «prendre votre pouls» trop souvent.

6
La Couleur

L'effet de la couleur sur les nerfs a conduit à son utilisation dans le traitement des affections nerveuses, sous le nom de chromothérapie. Le fait qu'on lui ait donné un nom particulier prouve que ce traitement présente une certaine importance.

Vous savez que vous êtes de meilleure humeur quand il fait beau et que le soleil brille. Les jours sombres sont déprimants. Mais même dans ces cas, la personne souffrant de tension nerveuse est plus sensible que les autres. Par contre, les individus aux nerfs solides et stables sont beaucoup moins sensibles au temps.

Quoi qu'il en soit, il n'y a aucune raison pour que vous ne profitiez pas des possibilités que présente ce principe.

La couleur est de plus en plus répandue dans la vie actuelle. Même les simples articles d'emploi domestique ont des couleurs gaies et attirantes, alors qu'autrefois ils étaient ternes. Cette omniprésence de la couleur est excellente. Les couleurs lumineuses remontent le moral et confèrent une signification aux objets quotidiens.

Les personnes dont les systèmes nerveux est déréglé devraient cependant accorder à la question des couleurs une attention dépassant le simple aspect de la luminosité.

Quand vos nerfs sont très tendus, certaines couleurs les irritent davantage si vous en subissez l'influence pendant un temps prolongé.

Cette constatation acquiert son importance en raison de l'habitude courante d'utiliser des abat-jour de couleur. Dans les longues soirées d'hiver nous devons passer un grand nombre d'heures à la lumière artificielle et rien ne nous empêche d'en choisir la couleur avec un certain discernement.

LES COULEURS «EXCITANTES»

Le rouge, par exemple, a un effet excitant sur les nerfs et pourtant c'est la couleur qu'on choisit pour les abat-jour plus que tout autre. C'est parce qu'elle crée une atmosphère intime et chaude. Le jaune aussi est excitant et c'est ce qu'il y a de plus proche de la simple lumière artificielle nue.

Au contraire, le vert et surtout le bleu ont un effet apaisant sur les nerfs. N'est-ce pas significatif de remarquer que pendant les belles journées d'été à la campagne on ne voit presque aucune autre couleur que ces deux-là?

Comme les abat-jour entrent en jeu surtout le soir, alors que vous avez besoin de retrouver le calme avant le sommeil, vous agirez sagement si vous choisissez le bleu ou le vert, non le rouge, ni le jaune. Personnellement je préférerais le bleu. Cela est vrai non seulement pour l'abat-jour de la chambre à coucher, mais pour ceux de toutes les pièces.

Par contre, le matin, quand vous vous levez, une couleur stimulante serait utile, de sorte que je suggère pour les murs de votre salle de bains un jaune clair, de la couleur des primevères.

Non seulement le jaune est stimulant pour les nerfs, mais de plus il remplace le soleil que nous aimons tant voir à notre réveil, mais qui n'apparaît que trop rarement.

À l'exception du brun et du gris, qui produisent des réactions plutôt négatives, les quatre couleurs que je viens de citer sont peut-être les plus fréquentes. Retenez donc, des abat-jour verts ou bleus pour vous calmer, des abat-jour rouges ou jaunes pour vous stimuler.

LA LUMIÈRE ET L'OMBRE

Il existe quelques faits concernant la lumière et l'ombre qui valent la peine d'être signalés. Pendant vos exercices de détente, mieux vaut que la lumière ne soit pas trop intense dans la pièce. Fermez un peu les rideaux, mais pas assez pour rendre la pièce obscure ou déprimante.

Choisissez pour la même raison une position telle que vous, tourniez le dos à la fenêtre. Même quand les paupières sont baissées, une certaine quantité de lumière les traverse et pénètre jusqu'à l'oeil. Vous pouvez facilement en faire l'expérience.

En été, quand la lumière du soleil est très puissante, il vaut mieux porter des verres teintés. Il existe un rapport certain entre l'effort des yeux et la tension nerveuse. Même sans tenir compte de l'effet direct de la lumière, la tension produit une douleur localisée dans les yeux et entre les yeux. Réciproquement, une douleur en ces points, provoquée par une lumière trop intense, tend à déterminer la tension nerveuse.

Un dernier mot sur la couleur pour dire que les vêtements de couleur claire ont un effet stimulant tant sur celui qui les portes que sur les autres. Sans nous habiller de manière bizarre ni voyante, nous pouvons porter des vêtements lumineux et colorés.

Les personnes ennuyeuses et peu intéressantes portent toujours, je l'ai remarqué, des vêtements ternes. Elles accordent leur habillement à leur humeur, au lieu de tenter d'éclairer leur humeur par leur façon de s'habiller.

Toutes ces questions ne constituent que des détails, mais j'ai toujours accordé une très grande importance aux détails lorsqu'il s'agissait d'une cure. Une goutte d'eau est inutile et presque invisible. Avec trois mille vous pouvez étancher votre soif.

Introduisez donc la couleur dans votre plan de campagne et faites-en usage avec sagacité et discernement. Vous ne pourrez pas en constater d'emblée l'effet bénéfique, mais il se produira néanmoins à votre insu.

POINTS À RETENIR

1) Chaque fois que vous avez à regarder une certaine couleur pendant un temps plus long, tenez compte du fait que le bleu et le vert sont reposants, tandis que le rouge et le jaune sont stimulants.

2) Il est plus facile de réaliser la détente avec une lumière tamisée.

3) Protégez vos yeux du grand soleil en portant des verres teintés.

4) Ayez le plus de couleurs possibles chez vous et habillez-vous de manière colorée. La grisaille est déprimante où qu'on la rencontre et la dépression est l'ennemie de la détente.

7
La Nourriture

Je n'ai pas l'intention de m'engager dans la question des régimes alimentaires, tout au moins pas en détail. Il existe pourtant un ou deux aspects de l'alimentation qui présentent une certaine importance pour la détente.

D'abord, les personnes souffrant de tension nerveuse perdent souvent du poids, parfois jusqu'à une dizaine de kilos. Si elles avaient un poids normal du temps où elles étaient bien portantes, elles voudront normalement y revenir.

J'ai toujours recommandé qu'on évite d'être gras, mais un grand nombre de personnes soumises aux efforts nerveux sont trop maigres. Or, les nerfs semblent se porter mieux lorsqu'ils sont bien couverts de chair. De plus, un certain poids confère un meilleur équilibre et une stabilité plus grande.

En ce qui concerne les personnes nerveuses, le poids ne dépend pas tant de la quantité de nourriture que des conditions dans lesquelles on l'absorbe. Il vaudrait mieux manger la moitié de la quantité qu'on mange, mais le faire *à loisir*, en mastiquant bien chaque bouchée. Je sais par expérience personnelle à quel rythme les personnes dont les nerfs sont tendus avalent leur nourriture, à croire qu'il ne leur resterait plus qu'une seule minute à vivre.

MANGEZ LENTEMENT

On profite très peu de la nourriture si on la prend de cette manière précipitée. De surcroît, il y a rien de pire pour se sentir plus nerveux et plus tendu, qu'une grande quantité d'aliments consommés à la hâte et tombant dans l'estomac. La sensation de malaise peut durer jusqu'au repas suivant.

Vous devez vous *forcer* à manger posément. Il ne sert à rien de dire que vous ne le pouvez pas, parce que vous le pouvez. Pour parvenir à acquérir cette habitude, commencez par lire pendant les repas des articles légers de votre journal.

Accordez-vous un certain laps de temps pour chaque repas et forcez-vous à rester à table jusqu'à ce que le délai ait expiré. Evertuez-vous à toujours sentir le goût de ce que vous mangez. Si vous vous concentrez sur cette sensation, vous aurez aussi l'avantage de détourner votre pensée d'autres sujets moins agréables.

On ne peut pas guérir de la faiblesse que ressentent parfois les personnes nerveuses, en les gavant d'une nourriture très riche. Une nourriture simple, en quantités modérées, mangée lentement, c'est tout ce qu'il faut. La nourriture simple garde le cerveau clair et le corps alerte.

Si l'on mange pour prendre du poids on entrave la circulation du sang, ce qui engendre une congestion de divers organes.

De toute façon, le poids accumulé trop rapidement est de peu d'utilité, parce qu'il disparaît à la moindre provocation. Tâchez, au contraire, de bâtir votre corps lentement et avec persévérance, en absorbant des quantités modérées de nourriture bien choisie.

Je suis un grand partisan du lait et des aliments préparer avec du lait. Je mange toujours du riz au lait à déjeuner. J'ai pris cette habitude après en avoir découvert les mérites, parce que précédemment je ne supportais même pas de le voir. Même à présent, je ne parviendrais pas à l'ingurgiter si je ne l'accompagnais d'un fruit, mais la combinaison de ces deux aliments est idéale au point de vue de la santé.

Dans son livre *Take It Easy*, Walter Pitkins ne tarit pas d'éloges sur la valeur du lait dans l'alimentation. Il dit que le calcium exerce une action déterminante pour la détente nerveuse et qu'on s'apperçoit immédiatement de la différence s'il est absent.

ÉVITEZ L'ACIDITÉ

Les deux principes fondamentaux de la diététique sont d'éviter l'acidité du sang et de maintenir le foie en bon état de fonctionnement. Aucune action directe n'irrite les nerfs plus que l'acidité. On peut mesurer l'importance de ce mal par l'ampleur des ventes de diverses poudres alcalines et de potions équivalentes.

À cet égard il est très utile de ne manger qu'une fois par jour de la viande. Le poisson, le fromage et les oeufs la remplacent parfaitement. Mangez des salades fraîches en abondance, surtout de la laitue en été et du céleri en hiver. Réduisez l'absorption de sucre et de sucreries. Le sucre brun non raffiné, produit moins d'acide et il est beaucoup plus sain.

Un grand nombre de personnes nerveuses souffrent du foie, pour la bonne raison que les nerfs trop actifs et une détente insuffisante exercent directement un effet négatif sur le foie. Il s'y ajoute, de plus, l'absence du meilleur tonique jamais recommandé pour le foie — de rudes exercices en plein air.

On sait que certaines graisses, comme la crème et le beurre, sont nourrissantes pour les nerfs, mais vous arriverez à des résultats contraires à vos intentions si vous en absorbez de trop grandes quantités. Si le foie ne peut pas faire face au travail que cela lui réclame, ces aliments ne seront pas convenablement transformés en éléments nutritifs. Vous commencerez à avoir le teint jaune et à vous sentir bilieux.

Soyez donc prudent en ce qui concerne les graisses, comme pour la viande et le sucre.

UN FOIE FAIBLE

Si vous avez le foie faible, le jus de citron est un excellent remède, bu *nature* à n'importe quel moment de la journée. L'effet s'en fait sentir immédiatement et c'est beaucoup mieux que d'absorber des tas de pilules et d'autres médicaments. Ces derniers produisent un effet toujours plus faible, alors que le jus de citron, étant un remède naturel, conserve son action.

Je n'en dirai pas davantage au sujet de la nouriture. Je ne crois pas à l'utilité des régimes, à moins qu'on ne souffre d'un trouble organique précis. On peut toujours choisir des plats d'un menu ordinaire et se maintenir en parfaite santé.

Il existe, certes, un grand nombre de choses qu'il vaudrait mieux éviter, mais il suffit de choisir avec sagacité et de ne pas exagérer. La gourmandise finit toujours par réclamer son tribut. L'homme ou la femme qui parviennent à trangresser les lois de la nature sans en subir les conséquences ne sont pas encore nés.

Si l'on se contente d'une nourriture simple, mangée avec modération, on aura à moitié gagné la bataille pour un système nerveux sain et solide. Souvenez-vous-en chaque fois que vous vous installez pour le repas.

POINTS À RETENIR

1) Soutenez votre organisme par une nourriture simple et bonne. Trop de nourriture riche produit l'effet contraire de celui qu'on souhaite.

2) Mangez toujours posément. Mieux vaut laisser dans l'assiette ce que vous ne pouvez pas manger lentement; cela vous fera moins de mal.

3) Évitez l'acidité du sang, car rien n'irrite davantage les nerfs. La viande et le sucre raffiné sont les deux principaux coupables.

4) Maintenez votre foie en bonne santé, sans quoi vous deviendrez vite irrascible et impatient.

5) Buvez du lait aussi souvent que possible ou mangez des plats préparés avec du lait. Si vous ne les aimez déjà, apprenez à les aimer.

8
Exemples Pratiques

Lorsque je me suis mis à écrire ce livre, je me suis rendu compte que j'aurais deux types de lecteurs bien distincts. Les uns seront arrivés au stade ou il éprouvent le besoin de se traiter. Ils ne pourront faire mieux que se concentrer sur tous les points que j'ai exposés. Il n'existe pas de méthode rapide pour arriver à défendre ses nerfs, une fois qu'ils sont tendus depuis trop longtemps. Il faudra que vous fassiez des efforts de patience et de persévérance pour les ramener à la normale. C'est l'unique moyen.

L'autre catégorie, peut-être la plus nombreuse, comprendra des personnes qui mènent une existence normale et n'éprouvent aucun symptôme alarmant. La vie étant cependant parfois harassante et difficile, elles cherchent à découvrir la détente, pour faire face à de telles périodes. Elles ont, d'autre part, conscience du fait que la prévention vaut mieux que les remèdes et se proposent donc d'éviter d'arriver,

par une absence prolongée de détente, à un dérèglement nerveux grave. Ces personnes sont très sages.
J'ai toujours dit qu'il était plus facile de se tenir sur
les rails que de s'y remettre après avoir déraillé et
c'est non seulement plus facile, mais c'est en outre
moins coûteux en temps, en argent et en mauvaise
humeur.

Je décrirai donc dans ce dernier chapitre deux
modes de vie caractéristiques, afin de faire ressortir
l'application pratique des principes que j'ai établis.
Il est évidemment impossible d'étudier tous les cas
spécialement, mais il est très probable que le vôtre
ressemble suffisamment à l'un des deux que voici.

Monsieur B. est un homme d'affaires du type
modéré. Il est d'âge moyen et pour un observateur
non averti il a l'air en bonne santé. Il ne se plaint
d'ailleurs de rien, si ce n'est d'une fatigue excessive
et d'un sentiment fréquent de tension. On ne peut
d'ailleurs pas s'en étonner, compte tenu des soucis et
des préoccupations qu'implique toute affaire.

Comme son cas n'est pas rare, je parlerai des
principales erreurs de son mode de vie. En premier
lieu, il se laisse trop absorber par son travail. Cela en
partie parce qu'il est trop consciencieux. Il ne peut se
résigner à laisser quoi que ce soit aux soins de ses
subalternes, bien que ceux-ci soient parfaitement
efficaces. La conséquence en est que du lever au coucher il ne pense qu'à ses affaires.

UNE HÂTE CONSTANTE

Au lieu de s'accorder un temps décent entre le réveil et le petit déjeuner, puis pendant qu'il mange, il se dépêche d'aller au bureau. Il devrait s'efforcer de ne pas penser à ses affaires avant d'être arrivé sur son lieu de travail: c'est parfois très difficile, mais c'est parfaitement possible si on le veut. S'il le faisait, il économiserait environ une heure et demie de gaspillage d'énergie nerveuse.

Il en est de même pour le déjeuner. Il pourrait parfaitement faire la sieste après le repas et il s'en trouverait très bien, mais dans son impatience de retourner au bureau, il ne se résigne pas à sacrifier ces quelques minutes. Toute personne ayant dépassé la quarantaine et continuant de travailler intensément devrait faire un petit somme après le déjeuner. Rien n'est plus utile pour empêcher la tension nerveuse.

Il y a dans les affaires et dans les professions libérales, des hommes qui ont la sagesse de se faire une règle de s'isoler complètement de leur travail pendant deux heures au milieu de la journée. Ils ne permettent pas que quoi que ce soit ne dérange ou n'interrompe leur isolement. C'est leur moment de détente. Ces gens, à aucun point de vue ne sont des ratés.

Une autre habitude que Monsieur B. a omis de prendre c'est de laisser ses affaires au bureau lorsqu'il rentre le soir. En fait, il les emporte d'ordinaire jusque dans son lit. Il parcourt les pages financières des journaux au petit déjeuner. Le soir il passe des heures à consulter les diverses publications commerciales.

Tout homme doit se tenir au courant de ce qui se passe dans son champ d'activité, s'il accomplit son travail sérieusement, mais aucun homme ne peut *impunément* concentrer son esprit sans discontinuer sur un seul sujet. Le changement d'idées est nécessaire pour la détente mentale.

LE SOMMEIL DÉRÉGLÉ

M.B. dort mal, comme on pouvait s'y attendre. C'est parce qu'il ne s'accorde jamais de détente réelle dans le courant de la journée. S'il étudiait les principes de la respiration et de la détente du corps et s'il les appliquait pendant les repas et immédiatement après, il pourrait déjà s'assurer un sommeil beaucoup plus régulier.

Non seulement il omet de pratiquer la détente quand il en a l'occasion, mais durant les heures de travail il provoque en lui-même de fréquentes tensions nerveuses inutiles. Il est naturellement obligé de parler une grande partie du temps et à cet égard je ferai deux remarques. Il parle trop vite et il semble qu'il ait, de plus, l'habitude de contracter les muscles de la gorge et des maxillaires.

Les personnes que leur fonction contraint à beaucoup parler devraient apprendre à le faire à partir des poumons et du diaphragme. Il ne faut que bien peu d'exercices pour y parvenir et la détente qui en résulte dans les organes vocaux permet la réalisation d'un état de détente générale.

Un parler précipité constitue en fait une action *physique* accéléré, moment où l'esprit est occupé par divers problèmes, les actions de ce type s'opposent à l'équilibre et à la sérinité.

UN GASPILLAGE D'ÉNERGIE NERVEUSE

Un autre trait de M.B. que j'ai remarqué est sa tendance à bouger le corps pendant qu'il parle et aussi à gesticuler et à froncer les sourcils. S'il le faisait une ou deux fois cela n'aurait pas beaucoup d'importance, mais en le faisant toute la jounée il dépense inutilement une énorme quantité d'énergie nerveuse.

Ce gaspillage rend la détente difficile. Toutes ces habitudes ne servent absolument à rien. Au contraire, elle font une mauvaise impression sur l'interlocuteur. M.B. et des milliers d'autres comme lui pourraient s'en libérer petit à petit. Il ne faut qu'un peu d'imagination et beaucoup de volonté.

En tenant compte des quelques remarques que j'ai faites, M.B. pourrait éliminer cette sensation de tension et de fatigue. Il pourrait abattre la même quantité de travail et le faire avec davantage de joie. La moitié de ses soucis mineurs et de son irritation disparaîtrait. L'autre moitié ne serait plus tellement inquiétante et compliquée.

LES EMPLOIS «MONOTONES»

L'autre type caractéristique est celui de l'employé que nous nommerons Monsieur C. Son travail ne comporte pas de responsabilités trop lourdes, de sorte que ce n'est pas l'inquiétude à ce sujet qui l'empêche de se détendre. Il n'est pas non plus obligé de beaucoup parler. Son travail est de ceux qu'on qualifie souvent de monotones.

C'est en raison de cela qu'il lui semble toujours qu'il doit faire des efforts. Certes, son travail ne lui déplaît pas, mais il n'y trouve aucun plaisir réel.

Il est fréquemment fatigué à la fin de la journée et se demande pourquoi. Or, cette fatigue est partiellement due à son incapacité de maintenir dans son corps un tonus physique. Je ne veux pourtant pas entrer dans cette question à ce point. Ce que je veux dire c'est qu'une bonne partie de sa fatigue provient d'une tension non constructive.

On ne le voit jamais respirer profondément et avec régularité pendant qu'il se penche sur ses registres. La raison en est aussi le fait que son travail ne le passionne pas. L'intérêt qu'on accorde au travail tend à rendre la respiration plus profonde. Comme il est peu probable qu'il arrive jamais à réellement s'intéresser à ses chiffres, il serait d'autant plus nécessaire pour lui de s'exercer à la respiration profonde jusqu'à ce qu'elle devienne automatique. Cela lui éviterait la majeure partie de ces grands soupirs qu'on lui voit pousser à des intervalles rapprochés.

De plus, son travail lui paraîtrait moins monotone qu'il ne l'est en réalité.

Je suis d'autre part certain, d'après la manière dont M.C. se tient assis à son bureau, qu'il n'a jamais étudié la détente physique. Son tronc paraît raide et il tient les jambes recroquevillées sous sa chaise. C'est une attitude qui engendre la tension et la fatigue. Il devrait de temps en temps sentir le poids de son corps sur la chaise et permettre à ses jambes de pendre librement à partir des hanches.

Quand il écrit il écrase presque le stylo entre ses doigts, au lieu de le tenir légèrement. Aussi écrit-il beaucoup trop vite, dans l'idée éronnée qu'il fait ainsi une plus grande quantité de travail.

J'ai constaté par expérience personnelle que le fait d'imposer un certain rythme à la plume ne constitue pas une perte de temps. Cela peut même permettre de gagner du temps, parce qu'on commet moins de fautes. De plus, cela permet à l'esprit et au corps d'être plus détendus.

DÉTENDRE LES YEUX

Mais l'erreur la plus grave de M.C. concerne l'emploi de ses yeux. Il oublie qu'il regarde des heures durant du papier blanc. L'éclat de cette blancheur crée une tension et cette tension s'accroît parce que M.C. fixe son travail les yeux et le front concentrés. Il devrait plutôt permettre à ses paupières de s'abaisser un peu. Il verrait son travail tout aussi clairement. En outre, la détente des yeux est le meilleur prélude à la détente générale du corps.

Chaque fois que j'éprouve le besoin de me détendre, la première chose que je fais c'est de laisser tomber un peu mes paupières. Quand j'écris je tiens toujours les yeux mi-clos. Ils tendent à s'ouvrir tout grands au bout d'un temps, mais je sais qu'il s'agit du commencement de la tension et leur impose de rester mi-clos.

Les remarques que j'ai présentées au sujet de ces deux cas réels s'appliquent à la plupart des travailleurs sédentaires. Le travail effectué par la plupart des gens contient une part de décision et une part d'exécution. On peut donc tirer profit de chacun de ces deux cas; aussi bien le vendeur que le représentant de commerce.

MESSAGE POUR LES FEMMES AU FOYER

Avant de conclure, juste un mot à mes lectrices. Celles qui travaillent dans les bureaux ou qui sont dans le monde des affaires pourront faire leur profit des fautes des deux cas réels que je viens de décrire. Par contre, celles qui dirigent leur maison, surtout une maison où il y a des enfants, devraient prendre conscience du fait qu'il est nécessaire de prévoir de courtes poses par intervalles.

Ayez un endroit tranquille où vous puissiez vous retirer pour dix minutes de temps en temps. Prévoyez ces pauses dans un programme et respectez-le. Prenez du thé ou une autre boisson. Il est trop facile, avec l'interminable travail qu'on a à faire dans une maison, de dire: «Je ne peux pas me le permettre.» Il vous semble que vous devez d'abord finir tout ce que vous avez à faire, même si vous tombez exténuée à ce moment-là.

C'est un sentiment absurde qui n'indique qu'un manque de patience et de maîtrise de soi. C'est une habitude qu'on peut supprimer par simple force de volonté.

Les principes de la respiration et de la détente physique qu'il faut maintenir durant les moments d'activité s'appliquent aux femmes qui s'occupent du ménage comme à tout le monde. Or, ces principes pourront être appliqués dans les meilleures conditions si l'on respecte un programme. Faites d'avance le plan de votre travail au lieu d'en laisser le choix au hasard. Dans la mesure du possible essayez de vous assurer un bref moment de repos *avant* les repas — et un autre après.

TROP CONSCIENCIEUSE

Les femmes mariées sont souvent trop consciensieuses, trop portées à se sacrifier. Mais elles finissent par en payer le prix. Car, de plus, la psychologie des femmes est plus sensible, plus délicate que celle des hommes. Il faudrait donc qu'elles veillent à ce que leur beau sens du devoir ne les fasse pas travailler au-delà du point où la détente devient impérieuse. En d'autres termes, elles doivent avoir conscience de leurs propres besoins et des limites de leur endurance physique.

85

La pratique de la détente est plus importante que nous ne nous en rendons compte. Si l'on s'en occupait davantage, des milliers de personnes pourraient ne pas souffrir à cinquante ans d'hypertension artérielle.

D'autres réussiraient à ne pas arriver à l'état nerveux d'un directeur que j'ai rencontré récemment. Non seulement sa main tremblait violemment quand il portait la cigarette à sa bouche, mais tout son corps frissonnait, ainsi que sa tête. Je me suis dit que tout cela aurait pu lui être épargné s'il avait connu et pratiqué la détente vingt ans plus tôt. Il continue de travailler à temps complet, mais son état n'est certainement pas normal.

Bien qu'il ne soit jamais trop tard pour appliquer les principes de la détente, mieux vaut commencer au plus vite. C'est comme pour tous les arts. Le corps et l'esprit sont plus malléables quand on est jeune. Si vous l'êtes, la détente vous aidera à le rester. Si vous n'êtes plus tellement jeune, elle vous permettra de conserver vos forces et d'en faire le meilleur usage.

POINTS À RETENIR

1) Le fait de parler et d'écrire lentement, à un rythme déterminé, évite la tension.

2) N'accordez pas à vos affaires le monopole de vos pensées. Faites des heures des repas et des moments où vous n'êtes pas au travail des occasions de loisir et de récréation.

3) Chaque fois que vous le pourrez, accordez-vous une petite sieste après le déjeuner.

4) Ne gesticulez pas et ne bougez pas votre corps en parlant.

5) Le meilleur début de la détente générale passe par la détente des paupières et des muscles oculaires.

QUELQUES BONS CONSEILS

1) Ne vous imaginez JAMAIS que vous ne pouvez pas être calme et heureux en dépit du stress et de la tension de notre époque. Ayez TOUJOURS conscience du fait que vous n'êtes pas entièrement à la merci des influences extérieures.

2) Ne rendez JAMAIS votre vie plus compliquée qu'il ne le faut. Rappelez-vous TOUJOURS que toute simplification de vos désirs entraîne une économie d'énergie nerveuse.

3) Ne vous impatientez JAMAIS à cause de la lenteur de vos progrès vers la détente parfaite. Poursuivez TOUJOURS vos efforts avec persévérance, en vous basant sur la certitude que la Nature est infaillible, mais qu'on ne peut ni la faire aller plus vite que son rythme, ni la forcer.

4) Ne vous contractez JAMAIS pour résister à la tension mentale. Vous ne ferez que l'augmenter. Détendez TOUJOURS les muscles et baissez les paupières au moment où vous *commencez* à percevoir la tension.

5) Ne vous privez JAMAIS du temps qu'il vous faut pour manger, pour faire vos exercices ou pour dormir. Rappelez-vous TOUJOURS que vous ne pouvez pas maltraiter votre corps, sans que cela ne se répercute sur votre bonheur et sur votre efficacité.

6) Ne gaspillez JAMAIS vos loisirs inconsidérément. Utilisez-les TOUJOURS d'une manière constructive, afin d'équilibrer votre travail en le rendant plus facile et plus agréable.

7) Ne pensez JAMAIS au passé, à moins que vous n'y trouviez du profit ou du plaisir. Vivez TOUJOURS le plus possible dans le présent: ou dans l'avenir si une telle contemplation représente pour vous de l'espoir et une incitation à l'action.

8) Ne perdez JAMAIS votre confiance en vous-même et en vos possibilités. Rappelez-vous TOUJOURS que l'équilibre et la sérénité résultent principalement de l'exercice de l'esprit et du corps.

9) Ne relâchez JAMAIS vos efforts avant d'avoir atteint votre but. La persévérance est payante. Refusez TOUJOURS de vous laisser décourager par de légers déboires. Vous n'êtes qu'un être humain, vous ne pouvez pas être infaillible.

LA DÉTENTE COMPLÈTE

Wilfrid Northfield a personnellement fait l'expérience de l'influence considérable que la stabilité du système nerveux exerce sur la joie de vivre. Les principes qu'il esquisse peuvent permettre à des femmes et à des hommes tendus, exténués, d'acquérir la sérénité, l'équilibre et une efficacité accrue.

Peu de gens savent qu'il existe un lien entre la respiration et le système nerveux. Ce dernier ne peut que s'en ressentir si l'obstruction des conduits nasaux empêche la respiration d'être profonde et rythmée. Comme la respiration constitue la base de la technique de détente, l'auteur donne des instructions détaillées pour le fonctionnement normal des poumons qui ne travaillent qu'à moitié et pour le nettoyage de narines bloquées par le catarrhe.

La suggestion est un facteur puissant tant pour provoquer que pour soulager la tension nerveuse. Nous subissons tous l'effet de la suggestion, mais les personnes souffrant de tension nerveuse sont particulièrement vulnérables et doivent apprendre à contrecarrer les influences extérieures par une pratique régulière de l'auto-suggestion.

L'imagination a la capacité de créer un monde de beauté qui, contrairement au monde névrotique qui nous entoure, est à notre disposition et peut garantir à notre existence la sérinité et le calme.

LESLIE M. LE CRON
psychologue diplômé

4.95

L'auto-
hypnose

l'enseignement d'un praticien psychologue
pour vous aider à vous aider vous-même!

GUIDES SÉLECT

JOHN KENNEDY M.A., B.D., Ph.D. 4.95

Développez
votre
volonté

Un guide pratique de psychologie

**La volonté est une force cachée
qui permet d'atteindre vos idéaux**

Maîtrisez votre destin

IMPRIMÉ AU CANADA